D1268839

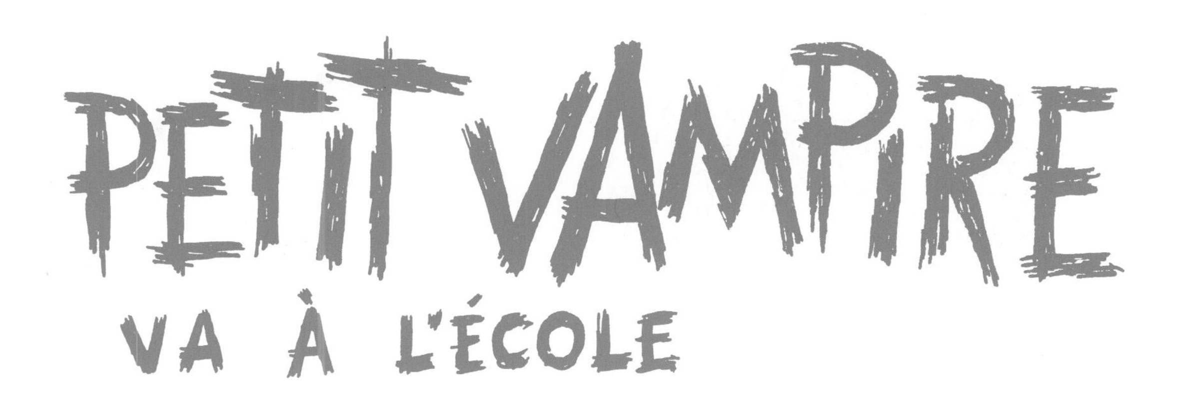

scénario et dessins
Joann Sfar

couleurs
Walter

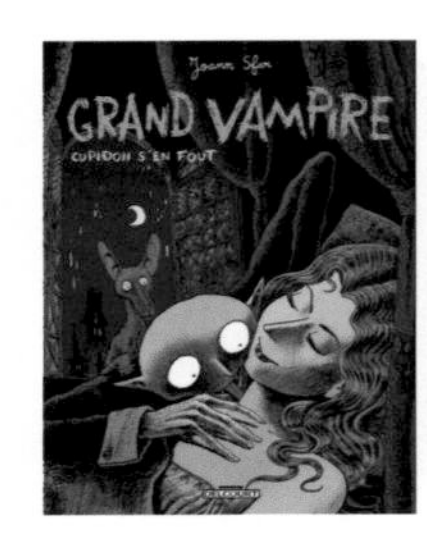

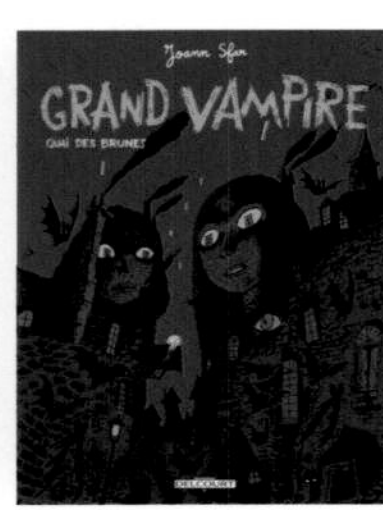

Dépôt légal : octobre 1999. I.S.B.N. : 2-84055-401-1

Achevé d'imprimer en mai 2006
sur les presses de l'imprimerie Lesaffre, à Tournai, Belgique.
Relié par Ouest Reliure, à Rennes.

Loi n° 49-956 du 16 juillet 1949
sur les publications destinées à la jeunesse

www.editions-delcourt.fr

C'était une nuit comme les autres dans la vieille maison.
Les morts endimanchés sortaient de leurs tombeaux.
Où allez-vous, ce soir, chère amie ?
Au bridge.
Voulez-vous me donner la main de votre fille ?
On l'a perdue.
Y reste le pied si tu veux.
Les théières dansaient avec les guéridons et les fantômes, de leurs chaînes, marquaient le rythme.
1

Les ancêtres qui s'étaient glissés hors de leurs portraits vétustes prenaient un peu de bon temps. Oui, tout était joyeux. C'était une nuit comme les autres et cependant quelqu'un était triste.
Mais c'est ma femme!
Je veux aller à l'école.
C'était la première fois qu'un Petit Vampire faisait ce genre de caprice. Les revenants n'en revenaient pas.
Les vampires sont libres comme l'air. Ils volent, peuvent se changer en rat, en loup, en chauve-souris, ils peuvent même mordre les filles jusqu'au sang sans que leur maman ne les gronde.
Alors franchement, Petit Vampire...
Est-ce que tu n'as rien de mieux à faire que d'aller à l'école?
Non.
2

Tout le monde trouvait très bizarre la demande de Petit Vampire, surtout le chien qui était un peu vexé qu'on lui préfère de vulgaires "enfants de mon âge."

Les monstres sont des gens serviables et ils se mettent bien vite à fabriquer de très convenables fournitures scolaires à partir de trucs trouvés dans la vieille maison.

Pis si tu veux un crayon, voilà un bout de charbon.
Il faudrait aussi que j'apporte un cadeau à la maîtresse.
Du caca, ça fait toujours plaisir.
... Et Petit Vampire s'envola par la fenêtre, tout heureux d'aller à l'école.
Pour le caca, je ne suis vraiment pas sûr.
Tu n'auras qu'à voir ce que font les autres élèves et offrir pareil qu'eux.
Boh... ce n'est pas grave si t'as pas de cadeau le premier jour. T'es nouveau, non?
T'as raison.
Toujours.
5

C'était une belle école à l'entrée d'un village. Elle était petite, deux étages et on pouvait y jouer au sable. Il y avait aussi une balançoire dans la cour et une volière pleine de tourterelles.

Dans le couloir s'alignaient des patères en bois, placées pas très haut pour que les élèves puissent y suspendre leurs tabliers.

Mais il n'y avait pas de tabliers.

Peut-être que les élèves ne venaient à l'école qu'en plein jour. Que pendant la nuit il n'y avait personne.

La maman de Petit Vampire s'attendait à le voir rentrer à l'aube, tout excité de l'école ; aussi fut-elle un peu inquiète quand il revint plus tôt que prévu, la tête vissée dans les épaules.
Que s'est-il passé, fantomate ?
Y a personne pendant la nuit, là-dedans. Alors y veut plus y aller.
T'as pas donné le caca ?
Je n'aime pas quand tu fais cette tête. Ça me rend triste.
Oui, jeune homme, d'autant que ton problème ne me semble pas insoluble.
C'est vrai, capitaine, vous croyez que je pourrai tout de même aller à l'école ?
Pourquoi pas ? Si tout le monde s'y met.
8

Et la nuit suivante, la plupart des fantômes s'étaient donné rendez-vous à l'école pour faire plaisir à Petit Vampire.

Le Capitaine des Morts qui faisait la leçon avait bien recommandé aux revenants d'apporter leurs propres fournitures afin qu'ils n'écrivent pas sur les cahiers des élèves du jour.

Parce que les fantômes ne doivent pas se faire remarquer par les mortels.

Je m'en fiche, moi j'écris sur le cahier.

Le lendemain matin, dans la même salle de classe, la maîtresse d'école interroge ses élèves : « - As-tu fait tes exercices, Michel Douffon ? »

« - Allez, ouvre ton cahier, ordonne la maîtresse et lis-nous ce que tu as écrit. » Michel ouvre son cahier, mais il n'en mène pas large parce qu'en fait il n'a pas travaillé.

Michel n'en revient pas.

Le soir même, Michel a quitté l'école sans faire ses devoirs.

On verra bien si le miracle se reproduit, pensait-il.

Et le lendemain, l'exercice du jour était fait.

Et le jour d'après aussi.

Depuis qu'il était petit, on avait raconté à Michel beaucoup d'histoires sur le Bon Dieu : il ouvre la mer en deux, il donne les tables de la Loi, il punit Adam et Eve lorsqu'ils mangent des pommes...

Mais il n'était fait mention nulle part d'un Bon Dieu qui vient la nuit dans les écoles pour faire des exercices de mathématiques.

Comme Michel avait peur de venir à l'école en pleine nuit, il a décidé de laisser un mot dans son cahier à l'intention de son bienfaiteur.

"Merci pour les exercices, qui es-tu ?"

Le lendemain, dans le cahier, il y avait une réponse : "je suis un vampire".

11

Et ainsi, d'un jour à l'autre, le dialogue entre Michel et Petit Vampire se poursuivait sur le cahier...

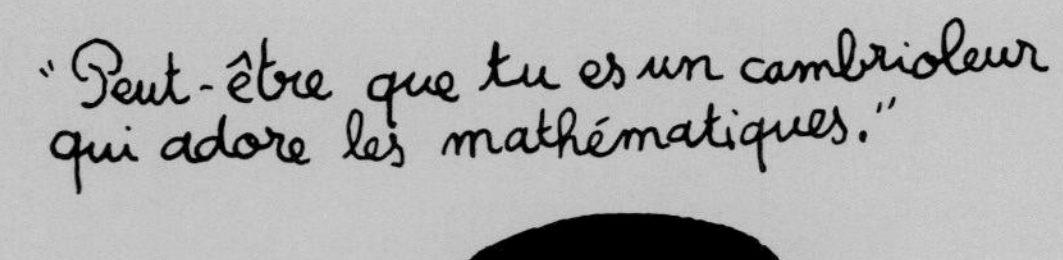

Qu'est-ce que tu fais, Petit Vampire ?
T'occupe
Maître, Petit Vampire y fait rien qu'à écrire sur le cahier des élèves.
Est-ce vrai, Petit Vampire?
Non Non Non
Montre-moi ce cahier.
Le Capitaine s'est mis à lire la correspondance de Petit Vampire et il a pris un air très sombre.
Vous êtes en colère, Capitaine ?
Non. Je n'ai pas l'habitude de me mettre en colère.
Mais ce que tu as fait est très grave.
13

Tu mets en danger tous les fantômes car si les gens savaient que nous existons, ils viendraient détruire notre vieille maison et nous serions encore obligés de déménager.
Qu'est-ce que je peux faire ?
Tu vas aller retrouver ce garçon, ce Michel, et tu vas me l'amener. Je veux être sûr qu'il ne parlera à personne.
Je sais pas où il habite.
C'est marqué dans le registre de l'école.
Qu'est-ce qu'il va lui faire, Le Capitaine, à ton avis?
Le tuer bien sûr.
Mais d'abord il va le torturer! Ha! Ha! Ha!
Arrête de trembler, je plaisante, quoi!
14

impasse Charles Naudin, c'est là.
C'est lui, tu crois?
RRR
ZZZ
Non, ça c'est des vieux.
RRR
ZZZ
J'espère qu'on s'est pas trompés de maison.
Hé.
Hmmrr?
15

WAAA!
Bâillonne-le! Bâillonne-le!
Tais-toi, tais-toi. Tu n'as pas de raison d'avoir peur.
mnfgmf...
Fantomate, va vérifier que son papa et sa maman dorment bien.
Oui chef!
Il ne faut pas que tes parents apprennent que j'existe.
C'est pas mes parents.
C'est mes grands-parents.
J'ai perdu mes parents.
Ah bon? Tu les as mis où?
Ha! Ha! T'es rigolo, perdu mes parents, c'est une expression, ça veut dire qu'ils sont morts.
Ah oui? Comme moi alors.
Moi, mes parents, c'est des morts-vivants.
Non. Moi, c'est pas pareil.
Moi c'est des morts morts, c'est pour ça que je suis orphelin.
Si mes parents étaient des morts-vivants, je pense que je serais un vampire comme toi.
Et c'est comment un orphelin?
Bin, comme moi, quoi, normal.
C'est bon, patron, les vieux ronflent comme des éléphants.
Je te présente Fantomate, mon chien.
Il est chouette.
16
(dauphin gonflable)

Attendez...

Regardez : c'est Alphonse, mon poisson. C'est mon copain.

Je le trouve moche. C'est mieux un chien.
T'en fais pas. Il est jaloux.

Non il est pas moche et puis il me reconnaît.
Ah oui ?

Quand on met le nez sur le bocal, il vient.
Génial !

?
?
BRODOBOOM !

'Scusez-moi.

Tu as voulu faire des acrobaties pour montrer que tu sais faire plus de trucs que le poisson, c'est ça ?

mouais.

Ha ! Ha ! il est génial, ton chien.

Tu ne dors pas, Michel ?
Non pépé.
Je... j'ai trouvé un chien.

Il a dû grimper par la corniche et entrer par la fenêtre. On pourra le garder, dis, pépé ?

On verra demain. Dors à présent, mon petit délicieux.
17

(ne faites pas ça chez vous. Si votre chien n'est pas magique, il ne faut pas grimper dessus.)

(18)

COUCOU!
Salut les monstres, je vous présente... mais où est-il passé?
Michel! Michel! Sors de ta cachette, ils sont très gentils.
Alors là mon vieux, tu peux toujours courir.
Michel!
Vous avez raison de vous cacher. Moi aussi, ils me font peur.
Ils m'ont même piqué un os la dernière fois.
AAA!
Bin tout de même! Où t'étais passé?
Ch'faisais pipi.
Faut pas faire pipi sur les tombes, après, tu te fais engueuler par les squelettes.
Et ils sont très vieux alors ils ont un sale caractère.
C'est à cause de leurs rhumatismes, mon garçon.
C'est très humide chez eux.
Quand t'as de la mousse entre les rotules, ça griiiince.
19

que faites-vous, capitaine?
Je mets un masque.
un masque en peau humaine.
Pour ne pas faire trop peur au petit garçon.
Tiens, bois quelque chose.
C'est du sang ?
Meuhnon, c'est du chocolat.
SLRP
Les monstres aussi aiment le chocolat, mon garçon.
Alors c'est bien.
Ha! Ha! Ha!
Pourquoi tu ris?
Parce que je trouve qu'ils se ressemblent, tous les deux.
HU! HU! HU!
20

Le petit garçon est là, capitaine.
Faites entrer.
Je suis le chef des fantômes. Approche.
Vous êtes un pirate ?
Oui. Il y a très longtemps, j'étais le capitaine d'un bateau hollandais.
Quand vous étiez vivant?
Oui.
Ma femme est morte la nuit de notre mariage. Par ma faute.
C'est vous qui l'avez tuée!
Je croyais qu'elle m'était infidèle. Ce fut une tragique erreur. J'ai été maudit à cause de ce crime.
J'ai été condamné à errer sur les mers à bord d'un bateau fantôme jusqu'à ce que je trouve une femme qui veuille mourir pour moi.
Et vous l'avez trouvée?
Oui, mais je suis tombé amoureux d'elle et je ne voulais pas qu'elle meure.
Mais elle s'est tuée quand même.
Comment le sais-tu ?
C'est l'histoire du Hollandais Volant, mon grand-père me l'a racontée. La dame s'appelle Pandora, n'est-ce pas?
Oui. C'est la maman de Petit Vampire.
Tu peux rentrer chez toi.
21

Vous ne me torturez pas ?
Comment savez-vous que je ne vais pas raconter à tout le monde que vous vivez ici ?
Je le lis dans tes yeux.
J'aurais bien aimé que vous me fassiez jurer sur un crâne ou quelque chose comme ça.
Tu veux un vrai serment de pirate ? D'accord.
Je jure de consacrer mon existence à protéger les morts et à garder leur mémoire. Et si je trahissais leur secret, que le Grand Cric me croque.
fais le signe de la croix.
Non. Ça je ne peux pas.
Ça donnerait plus de force à ton serment.
Oui mais je suis juif, capitaine.
La croix, ça n'a pas beaucoup de sens pour moi.
fais le signe de l'étoile dans ce cas.
Chez nous, on ne fait pas ça.
Et puis je ne crois pas trop en Dieu.
Parce que mes parents sont morts.
Tu es un peu jeune pour ne croire en rien.
Enfin, peut-être qu'il existe, capitaine, mais après ce qu'il m'a fait, je ne lui dois rien.
Tu devrais mieux réfléchir à tout cela. Certains malheurs nous ouvrent des portes magiques.
22

Tu comprends ce qu'il a voulu me dire, toi?
Non.
Tu as des jouets?
Non.
C'est bête, moi j'en ai plein. Mon Pépé, il m'en achète tout le temps.
J'en ai même des avec de la peinture indébibile, ça veut dire qu'ils vont dans le bain. Tu prends le bain, toi, desfois?
Non. C'est quoi?
Wa! Ha! Ha! L'autre, il se lave jamais.
?
J'ai pas compris la blague.
Cherche pas.
Maman! Maman! On peut prendre un bain?
Ouai m'dame
Pour quoi faire?
Les vampires sont naturellement propres.
Et les monstres sont tellement sales qu'il est inutile de les laver.
C'est pour jouer, madame.
Je comprends pas pourquoi c'est rigolo de se mettre dans du liquide.
Si ça vous amuse, je n'y vois pas d'inconvénients.
Mais je ne sais même pas si on a l'eau courante ici.
Hu! Hu!
En tout cas on a une vieille baignoire.
On va se débrouiller madame Pandora.
23

c'est ça, la baignoire?
oui.
Vous êtes prêts, monstres?
Soulevez!
Les monstres partirent en courant vers les marécages, portant à bout de bras la baignoire pleine de Petit Vampire, de Michel et de Fantomate.
Arrivés là-bas, ce fut un jeu d'enfants de remplir la baignoire d'eau boueuse.
PLACE! PLACE!
Place au bain!
Ha! La gadoue.
Ha! Ha!
SHLOFF SHLOFF SHLOFF
Les créatures du marais n'avaient jamais vu ça!
Même les vieux squelettes ronchons trouvaient ce spectacle singulier.
Hi! Hi! Baignoire de course!
Génial!
Et quand les monstres ont posé sur la table en chêne de la salle à manger la vieille baignoire, tous les fantômes étaient là pour voir le bain.
24

Fantomate n'aimait pas trop l'idée du bain mais on ne lui a pas demandé son avis.
Viens nager.
Hé!
C'est la piscine, blblblblbl...
BFRR
Ha! Ha!
Ho Là Là!
Dans quel état avez-vous mis cette salle à manger!
Non. Ça ne me fait pas rire. Le bal des vampires a lieu demain. Il faut que tout soit impeccable.
25

Alors tout le monde a passé le restant de la nuit à nettoyer la salle à manger de la vieille maison pour que madame Pandora ne soit plus fâchée. Les monstres nettoyaient comme des cochons. Il y en a même un ou deux qui léchaient les murs et qui se disaient que la boue c'est bon à manger. Mais Michel nettoyait très consciencieusement parce qu'il avait peur de ne plus être invité chez Petit Vampire s'il faisait des saletés.

finalement, la maman était contente.

Elle a fait du thé et des gâteaux espagnols qui s'appellent montécaos et qui sont comme des sablés mais meilleurs.

mais l'aube se levait.

En un clin d'œil, tous les fantômes ont regagné leurs lits, leurs grottes et leurs caveaux.

27

Au revoir mes copains, au revoir.
Michel traversa le village endormi.
Il escalada le mur de sa maison...
... pour se jeter dans son lit une minute avant que sa grand-mère ne vienne le réveiller.
Debout, mon trésor, c'est l'heure. Il paraît que tu as trouvé un chien.
Non, mémé, il a disparu.
qu'est-ce que tu racontes?
28

Dis donc, tu as l'air très fatigué, toi.
Et tu es tout sale! qu'est-ce qu'il t'est arrivé?
Rien.
Si. Je suis peut-être malade.
Peut-être que j'ai le rhume. Ou l'otite.
Ou la scarole. Il faudrait peut-être pas m'envoyer à l'école.
La scarole, c'est une salade. Et le rhume et l'otite aussi d'ailleurs. Pas question de louper l'école.
Allez coco. Et ne traîne pas en rentrant. Je ferai un Hemzalleh!(*)
Comment ça, c'est une salade? c'était comment, cette maladie?
Ah oui, La scarlatine. Bah, c'est pareil.
29
(*) c'est très bon, vous n'avez qu'à avoir une mémé comme la mienne.

Et comme les jours précédents, Michel était tranquille au moment de montrer ses devoirs à la maîtresse parce qu'il savait que Petit Vampire les avait faits à sa place. Hé, mais non !
Petit Vampire était avec Michel toute la nuit, il n'a pas eu le temps de faire les devoirs.
Et Michel a eu zéro. Ça lui apprendra à ne plus compter sur les autres.
Michel se dit que dorénavant, il ferait lui-même ses devoirs.
... ça lui laissera plus de temps pour jouer avec Petit Vampire.
FIN
30
Joann Sfar, le 16 Juillet 1999. Tous les monstres reviendront dans "Petit Vampire fait du Kung-Fu."
(Si ça vous a plu, retrouvez ces personnages, adultes, dans "Le Petit Monde du Golem", publié par l'Association.)